HISTOIRES DRÔLES

Tome 24

ECOLE ILE DES SOEURS,

Texte : Jeanne Olivier

Illustration de la couverture :
Philippe Germain

HISTOIRES DRÔLES No 24

Conception graphique de la couverture : Philippe Germain

Photocomposition : Reid-Lacasse

Dépôts légaux: 4e trimestre 1996
Bibliothèque nationale du Québec
Bibliothèque nationale du Canada

ISBN: 2-7625-8612-7   Imprimé au Canada

LES ÉDITIONS HÉRITAGE INC.
300, rue Arran, Saint-Lambert (Québec) J4R 1K5
(514) 875-0327

À tous ceux et celles
qui aiment collectionner,
écouter et raconter des blagues

Deux maringouins discutent :

— Je viens de recevoir une carte postale de mon oncle.

— Il est en voyage?

— Oui. Il est allé dans le Sud.

— Est-ce qu'il aime ça?

— Je comprends! Il dit qu'avec tout ce monde en costume de bain, il n'a jamais aussi bien mangé!

* * *

Anita : Tu sais pourquoi les biscuits soda sont carrés?

Laurence : Non.

Anita : Pour ne pas qu'on les avale tout rond!

* * *

Manon : Sais-tu pourquoi il y a des bornes-fontaines de chaque côté des rues?

Bruno : Non.

Manon : Parce qu'il y a aussi des chiens gauchers!

* * *

— Sais-tu comment on appelle une pièce de vingt-cinq cents qu'on lance dans une fontaine?

— Non.

— Un sou marin!

* * *

Jacques : Pourquoi ton serin ferme les yeux quand il chante?

Alexis : Parce qu'il connaît sa chanson par cœur!

* * *

— Sais-tu qui porte la plus grosse tuque du monde?

— Non.

— Celui qui a la plus grosse tête du monde!

* * *

Guy : Tu sais comment on appelle un chat assis sur le bord d'une fenêtre?

Claude : Non, je ne sais pas.

Guy : Un châssis!

* * *

Valérie : Il fait tellement chaud cet été!

Jean-Philippe : Oh! oui, tu as bien raison. Sais-tu quel temps on annonce pour demain?

Valérie : Il paraît qu'il va faire 32 degrés à l'ombre!

Jean-Philippe : Wow! On est mieux de ne pas se tenir à l'ombre demain!

* * *

Claudine revient de l'école toute triste.

— Ça ne va pas, ma chérie? lui demande sa mère.

— Non.

— Qu'est-ce qui se passe?

— À l'école, tout le monde m'appelle blé d'Inde.

— Mais pourquoi?

— Parce qu'ils maïs...

* * *

Le frère de Mathieu sort de la piscine.
— Alors, l'eau était bonne?
— Comment veux-tu que je le sache, je n'y ai pas goûté!

* * *

La fille : Papa, je me pose une question.
Le père : Quoi?
La fille : Comment se fait-il que les poissons ne rouillent pas même s'ils sont toujours dans l'eau?
Le père : Euh...

* * *

Quelle est la première phrase qu'Ève a prononcée au paradis?
— Peux-tu me prêter ta brosse Adam?

* * *

Quel est le numéro de téléphone de la poule? 444-1919!

* * *

Une dame prend l'avion pour la République Dominicaine.

— Pardon monsieur, demande-t-elle à l'agent de bord, connaissez-vous quelques mots d'espagnol que vous pourriez m'enseigner?

— Moi je ne parle pas espagnol, mais si vous mettez vos écouteurs, vous entendrez un petit cours de conversation.

— Oh, merci!

La dame ajuste les écouteurs et se concentre pendant une bonne demi-heure. Elle a très hâte de sortir de l'avion pour mettre en pratique ses nouvelles connaissances.

À l'atterrissage, l'agent de bord lui demande:

— Alors, pouvez-vous me dire quelques mots en espagnol?

— Très facile : sssssssssssssssssssss...

* * *

Papa lion : Je t'ai vu ce matin courir après un chasseur autour de sa tente!

Bébé lion : Oui, et puis?

Papa lion : Mais combien de fois faudra-t-il que je te dise de ne pas jouer avec ta nourriture!

* * *

Toc! toc! toc!
— Qui est là?
— Hélas.
— Hélas qui?
— Hélas tique!

* * *

Une tortue se fait piquer la tête par une abeille.

— Catastrophe! dit-elle. Si ça enfle trop, je vais être obligée de coucher dehors!

* * *

— Quelles lettres sentent vraiment mauvais?
— Je ne sais pas.
— G P T.

* * *

Georges : Sais-tu ce qu'ont en commun un bandit et une chaise?
Christiane : Non.
Georges : Tous les deux ont un dossier.

* * *

Quel est le pays préféré des petites personnes?
Cuba.

* * *

Diane : J'ai tellement de misère à m'endormir ces temps-ci!

Gilbert : Tu devrais essayer de compter des moutons.

Diane : J'ai bien essayé, mais il y a toujours un loup qui veut les manger. Alors le temps que je les cache tous, et c'est déjà le matin!

* * *

David : Qu'obtient-on si on croise un cochon avec un lapin?

Daniel : Je ne sais pas.

David : Un copin!

* * *

Toc! toc! toc!

— Qui est là?

— L'abbé.

— L'abbé qui?

— L'abbé Luga!

* * *

Pourquoi l'hippopotame a mis son tutu rose aujourd'hui?

Parce que le bleu était au lavage.

* * *

Un monsieur assis dans un parc arrête un petit garçon qui passait par là.

— Excuse-moi, mon petit, quelle heure est-il?

— Je ne sais pas.

— Euh... y a-t-il une horloge dans ce parc?

— Je ne sais pas.

— Sais-tu à quelle heure a lieu le concert cet après-midi?

— Je ne sais pas.

— Est-ce qu'il y a un gardien dans ce parc qui pourrait répondre à mes questions?

— Je ne sais pas.

— Mais dis donc, toi, y a-t-il des choses que tu sais?

— Oui, je sais que vous êtes assis sur un banc qui vient juste d'être peint!

* * *

Les parents : On a besoin de ton aide pour peinturer les murs chez ta grand-mère. On te  donne la permission de manquer l'école tant que tu n'auras pas fini la peinture.

Émery : D'accord!

Le lendemain, Émery se présente chez sa grand-mère.

— Bonjour mon garçon! Voici la peinture, et ici j'ai des pinceaux. Tu en veux un grand ou un petit?

— Oh! Le plus petit possible, s'il te plaît!

* * *

Au restaurant :
— Comment as-tu trouvé ton poulet?
— En cherchant sous le riz!

* * *

15

— Ah non! mon jeu électronique ne marche plus!

— Ah bon? je ne savais même pas qu'il avait des jambes!

* * *

Antoine : Sais-tu quel animal peut marcher sur la tête?

Mélanie : Non.

Antoine : Mais le pou, voyons!

* * *

Que dit-on après un bon repas?

On dit gère!

* * *

Un homme aux jambes croches rencontre un bon matin son copain aux yeux croches. Celui-ci lui demande :

— Comment ça marche?

— Comme tu vois!

* * *

À l'hôtel, le client demande au patron :

— Dites-donc, le plafond de ma chambre coule c'est effrayant! Est-ce que vos chambres sont toujours comme ça?

— Non, seulement quand il pleut!

* * *

Deux ampoules discutent :

— Oh! toi, tu as toujours des idées brillantes!

* * *

Deux copains conversent :

— Ma mère ne se sent pas très bien. As-tu une idée pour la soigner?

— Tu pourrais peut-être lui donner de la mèrmelade!

* * *

Micheline : Quelle est la définition d'une guimauve?

Guillaume : C'est une aspirine enceinte!

* * *

Qu'est-ce qui sort de la maison sans passer par la porte?
La fumée du foyer!

* * *

Gabriel : As-tu déjà vu un chat manger une souris?
Jade : Non.
Gabriel : Il commence toujours par la tête. Sais-tu pourquoi?
Jade : Non.
Gabriel : Il garde la queue pour se faire un cure-dents!

* * *

— Qu'est-ce qui est rouge et qui pique?
— Je ne sais pas.
— Un cactus timide!

* * *

Émilie : Quelle est la différence entre toi et un train?

Lili : Je ne sais pas.

Émilie : Toi, tu dérailles souvent!

* * *

Joël : Je viens d'apprendre que c'est un dinosaure qui a inventé la bicyclette.

Béatrice : Mais qu'est-ce que tu racontes?

Joël : Mais oui, le vélociraptor!

* * *

Valérie voit passer dans le ciel un avion avec une traînée blanche.

— Regarde papa! Je croyais que c'était interdit de fumer dans les avions...

* * *

Quels sont les poissons préférés des menuisiers?

Le poisson-scie et le requin-marteau!

* * *

— Mon voisin a reçu de beaux skis nautiques en cadeau. Mais il n'a jamais pu s'en servir.

— Pourquoi?

— Il cherche encore un lac avec une pente!

* * *

Toc! toc! toc!

— Qui est là?

— Monsieur Mais.

— Monsieur Mais qui?

— Monsieur Mais zon neuve!

* * *

À l'épicerie, le gérant aperçoit un homme qui se promène à quatre pattes.

— Mais que faites-vous là, monsieur?

— Je cherche les bas prix!

* * *

Quel est l'animal le plus heureux?
Le hibou, car sa femme est chouette!

* * *

— Tu sais que mon chien est très intelligent!

— Ah! oui, que fait-il?

— Je lui donne de l'argent et il va m'acheter mon journal!

— Extraordinaire!

Le lendemain, le copain va chez son ami pendant que celui-ci est au travail. Il donne de l'argent au chien et l'envoie au dépanneur. Le temps passe, et le chien ne revient pas. Le copain commence à être inquiet. Surtout quand il voit son ami arriver.

— Mais que fais-tu là? Et où est mon chien?

— Euh... J'ai fait comme tu as dit hier, je l'ai envoyé chercher un journal. Ça fait plus d'une heure et il n'est pas encore revenu!

— Bon, combien d'argent lui as-tu donné?

— 10 dollars.

— Ne cherche pas plus loin! 50 cents, ça suffisait. Maintenant, il est parti au cinéma!

* * *

Le père de Mauricio est en train de réparer l'escalier.

— Papa, lui demande son fils, je trouve que le ciment ressemble beaucoup à un mélange à gâteau. Penses-tu que je pourrais y goûter?

— Tu peux en prendre une bouchée si tu veux, lui répond son père, mais ne bois surtout pas d'eau!!

* * *

Pourquoi les mamans kangourous détestent les journées de pluie?

Parce que les enfants sont obligés de jouer à l'intérieur!

* * *

— Quel est l'exploit le plus difficile à réaliser pour un chevalier en armure?

— Je ne sais pas.

— Se gratter!

* * *

Frédéric tente de s'endormir mais se fait réveiller constamment par un moustique.

— ZZZZZZZZZZZZZZZZZZZ!

À bout de patience, il attrape le moustique, le berce et réussit à l'endormir. Quand il est bien sûr que le moustique dort profondément, il lui crie à l'oreille :

— ET PUIS, AIMES-TU ÇA TE FAIRE RÉVEILLER EN PLEIN MILIEU DE LA NUIT?

* * *

Un monsieur se présente à la quincaillerie et demande une boîte de 3 centimètres de largeur sur 10 mètres de longueur.

— Mais que voulez-vous faire avec ça? lui demande le vendeur.

— Eh bien, c'est pour déménager ma corde à linge...

* * *

Deux amis qui ne se voient pas souvent sont au parc.

— J'ai une chose à te proposer. Que dirais-tu qu'on se donne rendez-vous tout de suite pour l'année prochaine, ici même, même jour, même heure?

— D'accord! Alors à l'année prochaine, moi je dois partir!

Un an se passe. Les deux copains se rencontrent comme convenu.

— Hé! salut! Je suis content que tu aies pensé de venir au parc.

— Mais qui t'a dit que j'étais parti?

* * *

Marianne : J'ai eu 100% dans mon examen!

La mère : Ah oui? C'est drôle, je ne me souviens pas t'avoir vue étudier hier soir!

Marianne : Ce n'est pas ça qui compte, maman. L'important, c'est que ma voisine de classe ait étudié, elle!

* * *

Drrrrring!

La secrétaire :

Patron, je pense que c'est peut-être pour vous.

Le patron :

Comment ça, peut-être? La personne veut me parler, oui ou non?

La secrétaire :

Ben... la personne dit qu'elle veut parler à l'imbécile qui s'occupe de la compagnie.

* * *

Toc! toc! toc!
— Qui est là?
— La pie.
— La pie qui?
— La pie dza!

* * *

Henri : L'année dernière, je suis allé faire un safari en Afrique.

Marie-Louise : Chanceux! Il a dû t'arriver des aventures extraordinaires?

Henri : Je comprends! Imagine-toi donc qu'un soir, un éléphant est entré dans notre campement et s'est assis sur ma montre. Et sais-tu quelle heure il était?

Marie-Louise : Non.

Henri : L'heure de m'acheter une nouvelle montre!

* * *

L'élève : Par quoi ça finit un chat?

Le prof : Par un t.

L'élève : Ah bon, je croyais que ça finissait par une queue!

* * *

— Qui a inventé les mitaines?

— Un nu-mains!

* * *

Pauline : Qu'est-ce qui est le plus fatigué après une journée d'école?

Gilberto : Je ne sais pas.

Pauline : Le crayon!

* * *

Quel est le métier le moins payant chez les chauves-souris?

Coiffeur.

* * *

Un nigaud qui roule à toute vitesse se fait arrêter par un policier.

— Dites donc, vous! Les limites de vitesse, ça ne vous dit rien? Je vais être obligé de vous donner un billet!

— Ah bon! C'est pour quel tirage?

* * *

Deux fantômes discutent :

— Dis donc, crois-tu aux gens, toi?

* * *

L'astronaute : Allô! tour de contrôle! Il y a un vaisseau extraterrestre qui s'est approché de la fusée et un des passagers tient un appareil photo dans ses mains. Que dois-je faire?

La tour de contrôle : Souris!

* * *

— Sais-tu pourquoi les éléphants ont la peau ridée?

— Non.

— Per-
sonne
n'est
assez
fou pour
avoir
essayé
de les
repasser!

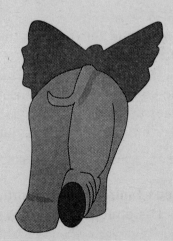

* * *

28

— Quelle est la meilleure façon d'attirer les lapins?

— Je ne sais pas.

— Imiter les carottes!

* * *

Dominique : Peux-tu me faire une phrase avec le mot pharmacie?

Suzanne : Euh... je ne sais pas.

Dominique : Aujourd'hui, l'épicerie pharmacie-z-heures!

* * *

Quel est le nom le plus lourd à porter?
Roch Lapierre.

* * *

Deux amis font une promenade à la campagne :

— Oh! vois-tu la forêt, là-bas?

— Non, les arbres me cachent la vue...

* * *

Guy : Comment étaient les questions de l'examen?

Richard : Les questions étaient faciles, mais j'ai eu des problèmes avec les réponses!

* * *

Marie-Michèle : Quelle est la meilleure chose à faire avant de prendre son bain?

Jean : Je ne sais pas.

Marie-Michèle : Se déshabiller!

* * *

Mikaela : Quelle est la différence entre un muffin et ta sœur?

Lise : Je ne sais pas.

Mikaela : As-tu déjà pris une bouchée de ta sœur?

* * *

Quel est le comble de la patience?

Attacher les patins d'un mille-pattes!

* * *

La mère : J'en ai vraiment assez que tu te chicanes toujours avec ta sœur!

Jocelyne : Tu as raison, maman. Dans le fond, ma sœur, elle n'est pas aussi imbécile que je le dis!

La mère : Bon!

Jocelyne : Non, elle l'est encore plus!

* * *

Pourquoi les poules dorment sur une seule patte?

Parce que si elles dormaient sur pas de pattes, elles tomberaient!

* * *

— Connais-tu la blague de la crêpe?

— Non.

— Elle est plate! Veux-tu en connaître une autre encore plus plate?

— O.k.

— Tourne la crêpe à l'envers!

* * *

Sylvain :
Sais-tu
pourquoi le
ciel est si
haut?
Marie :
Non.
Sylvain :
Pour ne pas
que les
oiseaux se cognent la tête!

* * *

Deux nigauds se promènent sur une voie ferrée.

— Tu ne trouves pas qu'elles sont épuisantes, ces marches?

— Oui, surtout que la rampe est pas mal basse!

* * *

Deux murs discutent :
— Ce soir il y a une fête chez la voisine. Est-ce qu'on y va ensemble?
— D'accord, je passe te chercher au coin!

* * *

Toc! toc! toc!
— Qui est là?
— Lenny.
— Lenny qui?
— Lenny gauds!

* * *

Drrrring!
La téléphoniste : Allô! Ici Air Tourisme!
Le voyageur : Pouvez-vous me dire combien de temps prend l'avion pour aller de Montréal à New York?
La téléphoniste : Un instant, monsieur...
Le voyageur : Merci, et bonjour!

* * *

— J'ai une poule formidable, dit un fermier à son voisin.

— Qu'est-ce qu'elle a de spécial?

— Elle pond des œufs carrés.

— Ah ouais?

— Absolument. Et puis elle parle.

— Pas sérieux?

— Oui, mais elle ne connaît qu'un seul mot.

— Lequel?

— Ayoye!

* * * *

Deux anges discutent :

— Ça fait une semaine que le temps est splendide. Je commence à en avoir marre!

— Moi aussi. As-tu écouté les prévisions de la météo pour demain?

— Oui, il paraît que ça va être nuageux.

— Il était temps! On va enfin pouvoir s'asseoir!

* * *

Gaspard et Nestor, deux gros chats de gouttière, se rencontrent dans une cour.

— Miaou! dit Gaspard.

— Mi Ha Hou! répond Nestor.

— Mais qu'est-ce que tu dis là?

— Quoi? je ne t'avais pas dit que j'apprenais le chinois?

* * *

Pourquoi le président de la France porte-t-il des bretelles bleu blanc rouge?

Pour tenir ses pantalons!

* * *

— Connais-tu la blague du chien chaud?

— Non.

— Moi non plus, je l'ai mangé hier!

* * *

Deux gars sont au sommet d'une montagne. L'un saute en bas, l'autre garde ses souliers!

* * *

— Papa! Aujourd'hui j'ai réussi à voler trois buts à ma partie de baseball!

— Wow! je te félicite! Ton équipe a sûrement gagné?

— Je n'ai pas pu le savoir, les policiers m'ont arrêté avant la fin!

* * *

— Ma fille est tellement brillante! Elle peut épeler plusieurs mots à l'endroit et à l'envers.

— Ah oui! quels mots?

— Laval, été, elle, Anna...

* * *

Qu'est-ce qui fait le tour du monde en restant toujours dans son coin?

Un timbre!

* * *

Toute personne prise
en flagrant délit de rigolade...

... devra s'engager à continuer
dès maintenant la lecture
de ce livre!

Quel est le moyen le plus sûr pour ne pas se cogner les doigts en enfonçant un clou?

Tenir le marteau à deux mains!

* * *

— Sais-tu pourquoi il ne faut jamais raconter de blagues aux ballons?

— Non.

— Ils pourraient éclater de rire!

* * *

Deux mamans amérindiennes se promènent avec leurs bébés. Les deux mères se disent:

— Hug!

Et les deux bébés se disent:

— Huggies!

* * *

— Quelles sont les notes préférées des concierges?

— Fa si la si ré!

* * *

— Qu'est-ce qu'il ne faut surtout pas faire quand on nage dans un banc de poissons-scies?

— Je ne sais pas.

— La planche!

* * *

— Sais-tu quel fruit les poissons détestent le plus?

— Non.

— La pêche!

* * *

Quel est le comble de la patience?

Souffler sur une pièce de un dollar jusqu'à ce que le huard s'envole!

* * *

Comment s'appelle le meilleur patineur arabe?

Ilim Salam.

* * *

La mère : Mais qu'est-ce que tu fais assis sur le chat?!?!?

Julien : Mais maman, c'est mon prof qui nous a demandé de faire une recherche sur notre animal préféré!

* * *

Paul : Mon père est un cuisinier cruel!

Lise : Je ne trouve pas!

Paul : Mais oui, il bat les œufs et il fouette la crème!

* * *

Émilie : Qu'est-ce qui est noir, blanc, vert, noir et blanc?

Stéphanie : Je ne sais pas.

Émilie : Deux zèbres qui broutent de l'herbe!

* * *

— Pourquoi les tortues ne donnent pas de lait?

— Je ne sais pas.

— Parce qu'il n'y aurait pas de place pour le seau!

* * *

Marc-André : Connais-tu la différence pour les parents entre un système d'alarme et la télévision?

Josée : Non.

Marc-André : Il n'y en a aucune. Les deux sont aussi bruyants!

* * *

Un nigaud vient de louer une chambre dans un grand hôtel. Il se dirige vers l'ascenseur et appuie sur le bouton. Une demi-heure plus tard, l'employé à la réception l'aperçoit encore planté dans l'ascenseur.

— Mais que faites-vous là? Vous ne montez pas?

— Mais j'attends toujours du monde. C'est écrit ici : Capacité 10 personnes.

* * *

— Ma voisine fait l'élevage des pigeons voyageurs. L'année dernière, elle a décidé de croiser ses pigeons avec des perroquets.

— Est-ce que ça les a rendus plus rapides?

— Non, mais maintenant, quand ils se perdent, ils peuvent demander leur chemin!

* * *

Jérémie : G K C 1 9.
Sébastien : Fa si la la v!

* * *

Qu'obtient-on quand on croise un chien avec une girafe?
Un animal qui court après les avions!

* * *

Une petite fille est en compagnie de sa mère.
— Nous sommes deux! dit la petite fille.
Son père les rejoint.

— Nous sommes quatre! dit la petite fille.
Comment peut-elle dire ça?
La petite fille ne sait pas compter!

* * *

Laura invite sa copine à dîner. C'est elle-même qui a fait le repas.

— Ce pâté chinois me rappelle beaucoup ma tante Gabrielle, lui dit son amie.

— J'imagine qu'elle était une excellente cuisinière?

— Oh oui!

— Je suis flattée, c'est très gentil de ta part.

— Il y a une seule chose qu'elle ratait à tout coup!

— Quoi donc?

— Ses pâtés chinois!

* * *

— Maman, est-ce que ça coûte cher de la moutarde?

— Non.

— Alors pourquoi papa a crié si fort quand j'en ai renversé sur son chandail?

* * *

Monsieur et madame Tartempion vont entendre un concert. Pendant que l'orchestre joue, madame dit tout bas à son mari :

— Regarde, l'homme devant nous s'est endormi. Moi, je trouve ça inacceptable! Il y a juste les imbéciles pour faire ça!

— Ouais, et c'est pour me dire ça que tu me réveilles?

* * *

Quelle est la différence entre un éléphant et un orchestre?

L'éléphant a une trompe, l'orchestre a une trompette!

* * *

Quel est le comble de la malchance?

Se faire renverser par un camion, et puis être frappé par un avion pendant qu'on monte au ciel!

* * *

Deux copains se rencontrent :

— Pauvre toi! Que s'est-il passé pour que tu aies deux yeux au beurre noir?

— C'est que j'arrive de l'épicerie. En faisant la file pour passer à la caisse, j'ai remarqué que la dame devant moi avait sa jupe coincée entre ses fesses. Alors j'ai voulu lui rendre service et j'ai tiré la jupe. Elle n'a vraiment pas aimé ça et elle m'a donné un coup de poulet congelé sur l'œil droit!

— Et ton œil gauche?

— Ben là, quand j'ai vu qu'elle n'était pas contente j'ai voulu lui faire plaisir et j'ai remis sa jupe comme avant!

* * *

Quel est le chiffre qui ne s'use jamais?
Le neuf!

* * *

Deux oiseaux voient passer une fusée.

— Oh! la la! Tu as vu comme il va vite, ce drôle d'oiseau-là? Il est complètement fou!

— Peut-être que tu irais aussi vite si tu avais le derrière en feu comme lui!

* * *

Dans l'avion :

— Mesdames et messieurs, bienvenue à bord! Nous vous prions de bien vouloir attacher vos ceintures pour le décollage.

Et un peu plus tard :

— Mesdames et messieurs, nous désirons vous aviser que vous devrez vous serrer un peu la ceinture parce que nous remarquons à l'instant que les repas sont restés à l'aéroport...

* * *

Trois amis en voyage louent une chambre d'hôtel au 36e étage. Malheureusement, le soir de leur arrivée, l'ascenseur ne fonctionne pas. Les trois copains commencent à monter les escaliers. Après cinq étages, le premier dit :

— Ouf! c'est fatigant!

Le deuxième dit :

— Je suis crevé!

Le troisième dit :

— On... ouf! ouf! on... fiou! on...

Les deux autres se moquent un peu de lui :

— Alors! toujours aussi en forme! Cinq petits étages et tu n'es même plus capable de parler! Ah! ah! Allez, on continue!

Dix étages plus haut, nos trois amis s'arrêtent. Le troisième tente de reprendre son souffle :

— On... hhhhh... on... on... hhhh!

— Ah! ah! pas de temps à perdre! Continuons la montée!

Quand ils arrivent enfin au 36e étage, ils s'adressent au troisième copain :

— Puis? Qu'est-ce que tu avais de si important à nous dire?

— Ouf! ouf! on... on... fiou! on... on a
oublié la clé en bas!

* * *

Il est sept heures, le radio-réveil se fait entendre :

— Chers
auditeurs
et chères
auditrices,
bonjour!
Commen-
çons tout
de suite
par un peu
d'exercice!
Vous êtes

prêts! Allons-y! En haut, en bas, en haut, en bas. Bon,
passons maintenant à l'autre paupière...

* * *

Toc! toc! toc!
— Qui est là?
— Le beau.
— Le beau qui?
— Le beau su de Notre-Dame!

* * *

Lison : J'ai été invitée à fêter l'Halloween chez mon amie.

Louis : Chanceuse! Comment vas-tu te déguiser?

Lison : En sorcière!

Louis : Et j'imagine que tu vas danser le balai jazz?

* * *

Lucie : Quel est l'animal préféré des ordinateurs ?

Claudie : Je ne sais pas.

Lucie : La souris!

* * *

La prof : Annik, 5 plus 5?

Annik : Ça fait 10!

La prof : Très bien. Jonathan, combien font 4 plus 4?

Jonathan : Huit.

La prof : C'est ça! Luc, 1 plus 1?

Luc : Ah! Pourquoi c'est toujours à moi qu'on pose les questions les plus difficiles?

* * *

Michel : Sais-tu que mon frère s'endort toujours la bouche ouverte?

Alexandre : Ah bon! Pourquoi fait-il ça?

Michel : Pour être prêt à m'engueuler aussitôt qu'il se lève!

* * *

51

Que répond Patrick Roy à son entraîneur qui lui demande de pratiquer encore un peu ses arrêts?

Hockey! (O.k.!)

* * *

Dans la classe :
— Hé! Justin! Regarde le mouche au plafond!
— Ce n'est pas un mouche, Jennifer, c'est une mouche.
— Wow! tu as de bons yeux!

* * *

Pascal : Qu'est-ce que ça te prendrait pour que tu me laisses t'embrasser?
Violaine : Une anesthésie générale!

* * *

Je suis un nez qui adore l'école.
Un nez-lève!

* * *

Toc! toc! toc!
— Qui est là?
— Panneau.
— Panneau qui?
— Panneau Ramix!

* * *

Petit cannibale : Maman, je m'excuse d'être
en retard. Est-ce qu'il reste encore à manger?
Maman cannibale : Mais non, j'ai fini tout
le monde!

* * *

— Veux-tu bien me dire pourquoi tu te frap-
pes la tête avec ce marteau?
— Parce que ça fait tellement de bien quand
j'arrête!

* * *

Comment s'appelle la femelle du hamster?
Amsterdam!

* * *

— Mon voisin vient d'écrire un livre.
— Quel est le titre?
— «Comment devenir riche».
— Comment s'appelle-t-il, ton voisin?
— Monsieur Lafortune!

* * *

Comment sortir un éléphant d'une cabine de téléphone?

On ouvre la porte, on le met au régime, on attend et on le sort!

* * *

Élise : Sais-tu quelle est la différence entre mon frère qui prend des cours de conduite et une fraise?

Nicholas : Non.

Élise : Il n'y en a pas, les deux se retrouvent dans le champ!

* * *

Denis vient de s'acheter une voiture et emmène son copain Thierry faire un tour. À l'intersection, Denis demande à son ami :

— Est-ce que tu vois venir une auto de ton côté?

— Non.

Alors Denis avance et BANG! c'est l'accident!

— MAIS VOYONS, triple imbécile! Je t'ai pourtant demandé s'il y avait une auto!

— Ben Denis... tu ne m'as pas demandé s'il y avait un camion...

* * *

Sabrina : Pourquoi apportes-tu une bouée de sauvetage à l'école?

Manon : Pour être sûre de ne pas couler!

* * *

— Comment s'appelle le plus grand concierge russe?

— Je ne sais pas.

— Itor Lamopp!

* * *

Magali : Savais-tu qu'il faut six moutons pour faire une veste de laine?

Ian : Hein? Je ne savais même pas que les moutons savaient tricoter!

* * *

Monsieur Jutras visite son ami qui revient de voyage.

— Alors, comment as-tu trouvé l'Angleterre?

— En tournant à droite au Groenland!

* * *

— Paul s'en va à son cours de musique. Il doit prendre un escalier de douze marches. Il en monte huit. Combien en reste-t-il?

— Quatre?

— Non, il en reste toujours douze!

* * *

Sacha : Ma mère nous a fait un dessert d'automne hier soir.

Myriam : C'est quoi un dessert d'automne?

Sacha : Un mille-feuilles!

* * *

Un homme entre dans le monte-charge d'un entrepôt et lit : «Maximum 75 kilos».

— Pas de problème, se dit-il, je pèse 50 kilos.

Il prend place dans le monte-charge et celui-ci s'écrase. Pourquoi?

Parce qu'un homme averti en vaut deux!

* * *

Dans la classe, tout le monde a remis son travail sur les animaux de la ferme.

La prof : C'est bien, Janie. Mais tu as écrit : «Les chevals passent la journée dans l'enclos.» Tu sais qu'on ne dit pas «les chevals». Alors corrige ta phrase, s'il te plaît.

Janie : Euh... c'est vrai que je me suis trompée... J'aurais dû écrire «Les vaches passent la journée dans l'enclos»!

* * *

Gaston : Mais qu'est-ce que c'est que toutes ces bouteilles vides dans ton réfrigérateur?

Juliette : Ça? C'est pour mes invités qui ne boivent pas!

* * *

Deux amis sont à la plage.
— Tu ne te baignes pas?
— Oh non!
— Pourquoi?
— La dernière fois que je suis allé chez le médecin, il m'a dit que j'avais une santé de fer!
— Et puis?
— J'ai bien trop peur de rouiller!

* * *

— Pourquoi ton professeur porte toujours des verres fumés?
— Parce qu'on est trop brillants!

* * *

Lana entre chez sa nouvelle amie.

— Oh! wow! un piano! Je peux l'essayer?

— D'accord, mais va d'abord laver tes mains.

— Ce n'est pas nécessaire, je vais juste jouer sur les notes noires.

* * *

— Quelle est la maladie dont personne sur la terre n'a jamais souffert?

— Je ne sais pas.

— Le mal de l'air!

* * *

Qu'est-ce qui est noir et blanc et qui vole?
Un zèbre en avion!

* * *

La mère : Où t'en vas-tu comme ça?
Florence : Au magasin.
La mère : Avec ce chandail tout sale?
Florence : Non, avec mon amie Vanessa...

* * *

Toc! toc! toc!
— Qui est là?
— Hippie.
— Hippie qui?
— Hippie de maïs!

***

Deux puces voient passer un beau gros chien. L'une dit à l'autre :

— Mmm! Quand je regarde un beau buffet comme celui-là, ça me donne toujours faim!

***

— Connais-tu la blague de la tortue?
— Non.
— Ne t'inquiète pas, elle n'est pas encore arrivée!

* * *

— Qu'est-ce qui est jaune et vert?
— Je ne sais pas.
— Un cornichon déguisé en banane!

* * *

Je suis un nez qui a peur.
Un nez-frayé!

* * *

Deux copines reviennent de l'école.
— As-tu eu une bonne note dans l'examen de math?
— Bof... plutôt glacée!
— Comment ça, glacée?
— Ben oui, une note en dessous de zéro...

* * *

Le prof : Pourquoi les triangles ont trois côtés?

Simon : Parce que s'ils en avaient quatre, ça serait des carrés!

* * *

Le petit maringouin dit à sa mère :

— Maman! Je suis allé me promener dans une cour d'école. Sais-tu que je suis très populaire?

— Ah oui! ça m'étonne!

— Je te le dis, maman! Tout le monde tapait des mains en me voyant!

* * *

Deux squelettes se rencontrent en haut d'un gratte-ciel.

— On saute?

— Es-tu malade? Je tiens bien trop à ma peau!

* * *

— Maman, je ne sais pas trop ce que tu as mis dans notre lunch, mais ça goûtait drôle...

— Je comprends, je vous ai donné de la farce!

* * *

Quelle est la différence entre un manteau et un marteau?

Une lettre!

* * *

Deux petits microbes se retrouvent sous un microscope. L'un dit à l'autre :

— Fais un beau sourire, je crois qu'on nous regarde!

* * *

Quelle est la différence entre un menuisier et une femme enceinte?

L'un donne la vis, l'autre donne la vie!

* * *

Un homme en vélo frappe un passant.

— Vous êtes vraiment chanceux que je sois en congé aujourd'hui!

— Pourquoi me dites-vous ça? demande le piéton en se tenant la tête.

— Je suis conducteur d'autobus!

* * *

— Qu'est-ce qui a un dos mais pas de ventre, a des feuilles mais n'est pas un arbre, a une couverture mais n'est pas un lit?

— Je ne sais pas.

— Un livre!

* * *

Le prof : Agathe, combien y a-t-il de lettres dans l'alphabet?

Agathe : Huit.

Le prof : Pardon?

Agathe : Mais oui, a-l-p-h-a-b-e-t!

* * *

Denis : Quelle est la différence entre toi et la lune?

Martin : Je ne sais pas.

Denis : La lune est un astre, toi tu es un désastre!

* * *

Monsieur Bernard aperçoit le fils de son voisin avec un gros marteau dans les mains.

— Attention, Jean-François! Tu pourrais te faire mal!

— Oh! non, pas de danger, monsieur Bernard! C'est ma sœur qui tient le clou!

* * *

— Papa, aujourd'hui, à l'école, on a parlé d'un écrivain qui n'a jamais eu soif!

— Qui ça?

— Jean de La Fontaine!

* * *

Françoise est en auto sur l'autoroute avec son père. Le conducteur devant eux roule comme une vraie tortue! Son père s'impatiente et s'écrie :

— NON MAIS QUEL IMBÉCILE! IL SE CROIT SEUL SUR LA ROUTE OU QUOI?

— Mais papa, tu n'as qu'à changer de voie! Le père murmure alors :

— Non mais quel imbécile! Il se croit seul sur la route ou quoi?

* * *

Mathieu : Sais-tu ce que ça veut dire «no»?

Geneviève : Non.

Mathieu : Bravo!

* * *

Sandrine : Un coq pond un œuf sur une clôture. De quel côté l'œuf devrait tomber?

Léon : Je ne sais pas.

Sandrine : Ni l'un ni l'autre, les coqs ne pondent pas d'œufs!

* * *

Deux gardiennes discutent :

— Sais-tu quelle est la meilleure histoire à raconter aux enfants pour les endormir?

— Non.

— La belle au bois dormant!

* * *

Élisabeth devait aller rejoindre ses amis au parc mais sa mère lui demande de faire étudier son petit frère. Elle n'est pas très patiente avec lui.

— Quelle est la cinquième lettre de l'alphabet?

— Ehh...

— Oui, c'est ça. Quand je pense que je pourrais être au parc! Maintenant, dis-moi quelle est la première lettre de l'alphabet?

— Ehh...

— Mais non, ce n'est pas e! hurle-t-elle. Et elle lui donne un coup de cahier sur la tête.

— Ahhhh! crie son petit frère.

— Bon, là tu as la bonne réponse!

* * *

— Oh! la la! Il pleut des clous!

— C'est en plein le temps de se lancer dans les rénovations!

* * *

Marc : Il m'est arrivé hier une chose qui ne se reproduira plus jamais de ma vie, même si je me rends jusqu'à cent ans!

France : Quelle est donc cette chose?

Marc : J'ai eu dix ans!

* * *

Toc! toc! toc!
— Qui est là?
— Sam.
— Sam qui?
— Sam pique!

* * *

Sylviane emmène son ami visiter la vieille maison familiale.

— Alors, tu vois ici le lit où ont couché ma mère, ma grand-mère, mon arrière-grand-père et mon arrière-arrière-grand-mère.

— Mon Dieu! Ils devaient être tassés!

* * *

 Il y a dehors une poudrerie infernale. Monsieur Gauthier est incapable de distinguer la route dans toute cette neige. La seule chose qu'il voit, ce sont les phares de la voiture devant lui. Il décide donc de la suivre. Après quelques kilomètres, la voiture s'immobilise brusquement. Monsieur Gauthier sort dehors et dit à l'autre conducteur :

— Mais qu'est-ce qui vous prend d'arrêter en plein milieu de la rue!

— Je regrette, monsieur, mais on est dans mon entrée de garage, ici!

* * *

71

— Je suis un peu tanné que ma mère me prenne pour un menuisier!

— Pourquoi tu dis ça?

— Ben... tous les matins, elle me demande de faire mon lit!

* * *

Trois copains, Personne, Rien et Fou, se promènent en forêt. Tout à coup, Personne tombe dans un piège à loup! Rien se précipite vers son ami et demande à Fou d'aller chercher du secours. Fou court à toute vitesse vers son camion pour appeler le garde-chasse.

— Allô? Venez vite! J'appelle pour Rien, Personne est tombé dans un piège!

— Quoi? Êtes-vous fou?

— Oui, vous me connaissez?

* * *

Comment attirer un singe dans la jungle? En imitant le cri de la banane!

* * *

— Maman, tout le monde à l'école me dit que j'ai l'air fou!

— Mais non, mais non. Ferme tes trois petits yeux et dors!

* * *

Serge : Chaque soir, je me fais battre par ma sœur...

Olivier : C'est pas vrai!

Serge : Oui, au Nintendo...

* * *

Jasmine s'en va aux toilettes pendant le film. Elle revient s'asseoir dans la salle. Elle passe devant un monsieur et lui dit :

— Excusez-moi, monsieur, est-ce que je vous ai écrasé les pieds tantôt?

— Oui! répond-il fâché.

— Ah, parfait! Alors, je suis dans la bonne rangée!

* * *

Drrrring!

— Allô?

— Bonjour Isabelle, je voudrais parler à ta sœur.

— Hum... je crois qu'elle est sous la douche en ce moment.

— Peux-tu vérifier, s'il te plaît?

— Un moment.

Isabelle se dirige vers l'évier et ouvre le robinet d'eau chaude à pleine puissance. On entend alors un hurlement venir de la salle de bains. Isabelle reprend le téléphone.

— Oui, elle est bien sous la douche!

* * *

Toc! toc! toc!

— Qui est là?

— Riz.

— Riz qui?

— Riz ra bien qui rira le dernier!

* * *

Pourquoi les cultivateurs disent des gros mots à leurs tomates?

Pour les faire rougir!

* * *

Un homme qui s'est pris pour une souris pendant des années fait enfin une thérapie qui le guérit. Le psychologue qui l'a soigné décide de faire un dernier test. Il enferme donc son patient avec un chat.

Le patient, qui avait toujours eu très peur des chats, se met à frapper la porte en hurlant :

— Laissez-moi sortir! Par pitié ne me laissez pas ici avec ce chat!

— Mais calmez-vous! lui dit le psychologue. Rappelez-vous que vous êtes guéri maintenant. Vous n'êtes plus une souris et vous n'avez plus aucune raison d'avoir peur.

— Oui, je sais bien que je ne suis plus une souris! Mais le chat, lui, est-ce qu'il le sait?

* * *

CONCOURS

Tu dois connaître, toi aussi, de courtes histoires drôles. Alors, pourquoi ne pas nous en faire parvenir quelques-unes?

Parmi celles reçues, certaines seront retenues pour publication et l'auteur(e) recevra une surprise.

Participe le plus vite possible et envoie tes histoires drôles à :

CONCOURS HISTOIRES DRÔLES
Les éditions Héritage inc.
300, rue Arran
Saint-Lambert (Québec)
J4R 1K5

Nous avons hâte de te lire!
À très bientôt donc!

Tu peux également te procurer

Blagues en folie, tome I
Blagues en folie, tome II
Blagues en folie, tome III
Blagues en folie, tome IV

ACHEVÉ D'IMPRIMER
EN NOVEMBRE 1996
SUR LES PRESSES DE
PAYETTE & SIMMS INC.
À SAINT-LAMBERT (Québec)